喜羊羊与灰太狼

Pleasant Goat and Big Big Wolf

6 牧羊犬灰灰

童趣出版有限公司编　　人民邮电出版社出版
北京

主要人物介绍

喜羊羊： 族群里跑得最快的羊，乐观、好动，永远带着微笑。他总能识破灰太狼的阴谋诡计，拯救羊羊族群的生命，是羊氏部落的小英雄。

美羊羊： 美女羊，心灵手巧。她还是营养学家、美容师、模特儿……一切与“美”有关的事她都精通，是大家跟风模仿的对象。

懒羊羊： 最聪明的小肥羊之一，最喜欢的运动是睡觉。他聪明机智，而且临危不乱，总是一副大智若愚、举重若轻的样子。

沸羊羊： 最健壮的羊，也是最鲁莽的一只羊。经常是一副很酷的样子，总爱持反对意见，以为自己英伟不凡、天下无敌，其实很多时候都无能为力。

慢羊羊： 羊村村长，最年长的羊。博览群书，平时最爱搞小发明，是个乌龙发明家，但危急时又能派上用场。动作总是慢吞吞的，常把身旁的羊急死。

暖羊羊： 暖羊羊的心肠跟她的名字一样，充满阳光和温暖。重量级的身躯和无比善良的性格展现出来的魅力，总是让人大跌眼镜。

灰太狼： 住在青青草原对面的森林里，是个“聪明”又倒霉的坏蛋，爱钻研抓羊技巧，一有机会就去骚扰羊部落。他永远想偷羊吃，却永远被羊羊们打败。

红太狼： 灰太狼的老婆，贪婪、虚荣、狠毒。虽然长得一般却总打扮得华丽高贵，自以为天下最美。总是逼着灰太狼去抓羊，自己却坐享其成。

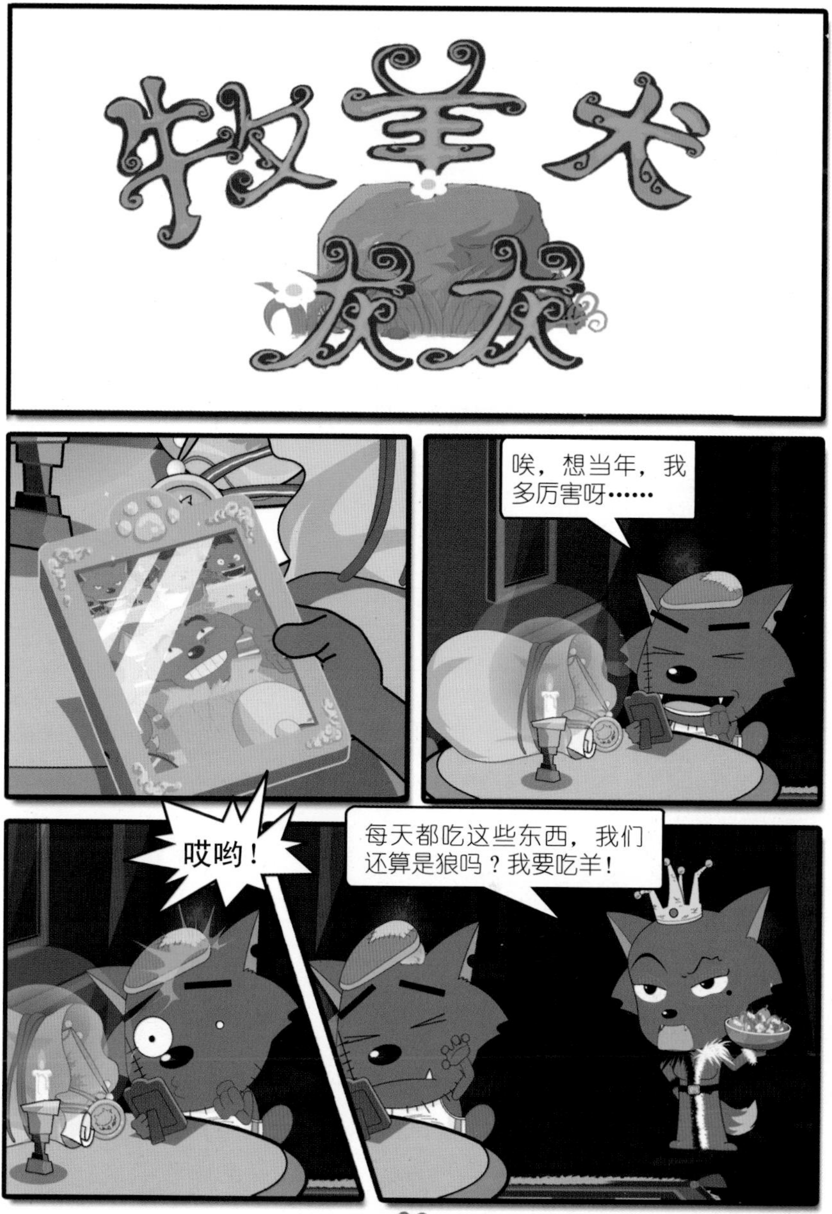
牧羊犬灰灰
唉，想当年，我多厉害呀……
哎哟！
每天都吃这些东西，我们还算是狼吗？我要吃羊！

老婆，那些小羊非常可恶，你看——
都是他们弄的……
那你更应该赶紧去抓他们了！
抓不到羊就别回来！
要是能回到年轻的时候该多好啊……
我有办法啦！
真难吃！
这次我一定会成功的！
嗯？你还敢回来？！

啊！
噼里啪啦！
噢啊！
这是祖先研制的青春药水，喝一口就能年轻二十岁！
不但口感一流，而且不含任何激素和防腐添加剂……
青春药水？！
咕咚咕咚
刚才被你撞的黑眼圈没有了！

真的有变化啊！
哎呀，我的皱纹全都没有了！
灰太狼，你真是太神奇了！
只要我恢复到十八岁，那些小羊……哈哈哈！
老婆，等我回来涮羊肉！

羊儿们，我来了！
拉不动？！
有了！
咕咚咕咚
嘿！嚯！
肥羊们，我来啦！

他们来了？
嗯，好喝好喝……
糟糕，我喝得太多了！
啊！
轰！
前面一定发生了什么事情。

你们看！这儿有一件衣服。
是谁被灰太狼吃掉了呢？
一定是灰太狼来过了！
我什么都没吃过！
好乖的小东西啊！
喂，别碰我！
小可怜！

真好玩！
这是什么？！
太可恶了！
啊！
哎呀，他亲我的手呢！
我来玩玩！
一颗牙齿也没有，
他真的很小呀。
我们就叫他“小小”吧？
多难听啊，长得这么丑，
不如叫他“小丑”吧。

他肯定很久没洗澡了，叫“臭臭”。
不，叫“灰灰”！
为什么？
要他记住，他的爸爸是被灰太狼吃掉的！
来，我们学点头！
灰灰，你愿意去羊村吗？
哦，你同意了，那我们一起回家吧！
放开我！
等一下……
村长，灰灰到底是什么动物呢？
动物图鉴
村长，您都查了半天了。
找到了找到了！
动物图鉴

láng
狼
群居动物
喜爱吃羊
啊，灰灰是狼？！
动物图鉴
不……
不不不，应该是这一张才对！
毫无疑问，他应该是一条狗！
gǒu
狗
苏格兰牧羊犬
村长，狗是什么动物？
这么像狼，一定不是好东西！
那把它扔回河边去吧！

不可以。
不用。狗是狼的天敌，有一种专门保护羊的狗，叫牧羊犬。
灰灰是牧羊犬？
嗯！
好好训练他，帮我们对付灰太狼！
灰灰，倒立！
嗯！

灰灰，我们来了！
灰灰真听话，想不想吃骨头啊？
给我！
灰灰，去把骨头叼回来！
骨头在哪里啊？
嗖！
嗯？过分！
别乱扔东西嘛，砸着别人就不好了。
我是在训练灰灰嘛。灰灰，给你！

哈！
傻瓜，那是石头做的！
灰灰，跟我走。
灰灰，这才是真正的训练，咬他！
我不！
灰灰，就是这个坏蛋灰太狼吃掉了你爸爸，快咬他呀！
灰灰，不咬的话，我可不客气了！

就是，训练怎么可以用鞭子呢？
沸羊羊，你会吓坏灰灰的！
嗯嗯！
我看还是用这个好！
啊！我咬！
在实验室里……
快查到了。
村长，好了吗？
轰！
啊，成功了！这就是快速长大药水！
灰灰可以帮我们对付灰太狼了！

我长大了先对付你！
给我呀？！
哎呀，看漏了一句。这是让植物快速长大的药水……
烦不烦啊！我要弄坏你的眼镜。
我的眼镜呢？
灰灰，你太淘气啦！
快去追！

嘿嘿，这下没人了！
多亏了慢羊羊研制出来长大药水。
可惜够不着？！
借过！
上来啦！
哼！
管它有什么副作用，喝了再说！
哈哈，伟大的灰太狼又回来了！

啊！这衣服……
这个尿不湿该扔了。
这才是我灰太狼！
噢……美味的晚餐！
推啊……
我怎么一点力气也没有了？
24小时后有效

什么破
药啊！
不想这么多啦！
灰太狼？！
啊？
这次不和你们玩
了，下次再见！
让开！
他是怎么进来的？
灰灰！

怎么是懒羊羊？
谁？
灰太狼把灰灰吃掉了！
抓住杀害灰灰的凶手！
对！
追！为灰灰报仇！
你们真是一群笨蛋！
嘿嘿，你才是笨蛋。
哎哟……哟……哟……

哼！哼！
你不但吃了灰灰，还想吃我？！
我真的没有啊！
灰太狼，你跑不了了！
我也来啦！
还有我呀！
轰！
轰隆！

啊？灰太狼怎么会变成这样？
呀！！！
呀！我的脚呢？我的手呢？
村长，灰太狼怎么会变成一棵树了呢？
一定是他把灰灰吃了。
他吃了灰灰……
可能是灰太狼曾经吃过野果子。
口渴时顺便喝了给植物用的快速长大药水！
就算他喝了，他是动物，也不应该起作用的呀？

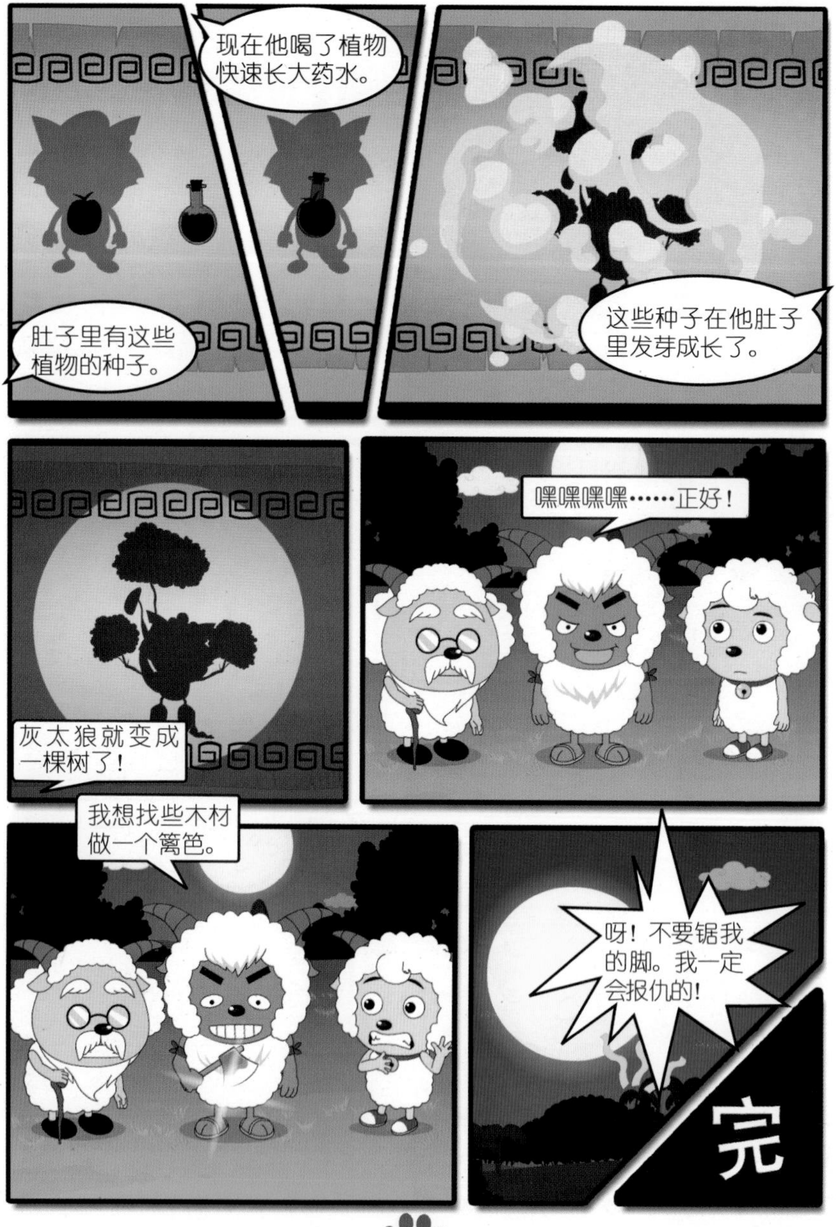
现在他喝了植物
快速长大药水。
肚子里有这些
植物的种子。
这些种子在他肚子
里发芽成长了。
灰太狼就变成
一棵树了！
嘿嘿嘿嘿……正好！
我想找些木材
做一个篱笆。
呀！不要锯我
的脚。我一定
会报仇的！
完

狼历新年
农历
十月三十羊历新年
羊成为欢乐幸福的象征，
在这一年里，羊不能受任何伤害！
特别是狼！
羊历新年来了，我们吃不到羊了！
哦！过新年啦！
砰！砰！砰！
要是能吃到那么大的羊该有多好啊！想吃多少就吃多少！
你干吗去？

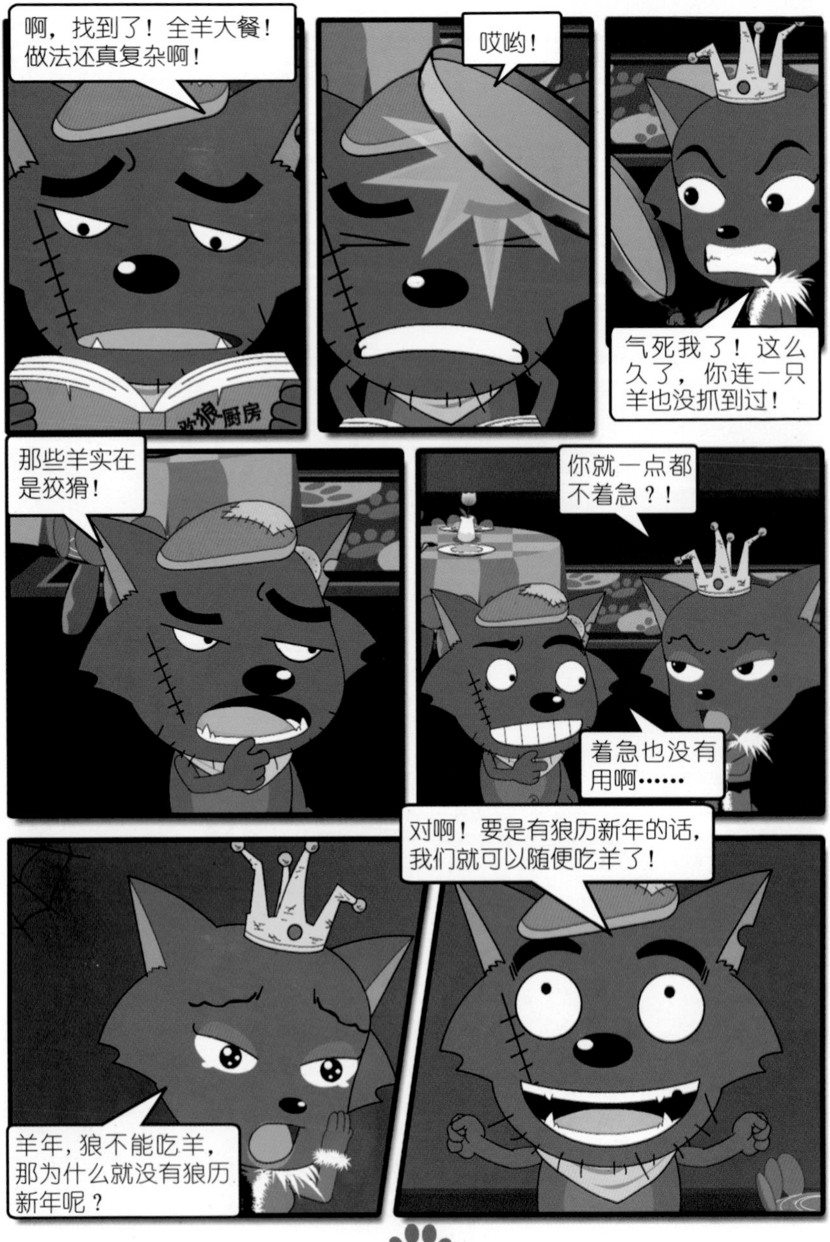
啊，找到了！全羊大餐！做法还真复杂啊！
灰狼厨房
哎哟！
气死我了！这么久了，你连一只羊也没抓到过！
那些羊实在是狡猾！
你就一点都不着急？！
着急也没有用啊……
羊年，狼不能吃羊，那为什么就没有狼历新年呢？
对啊！要是有狼历新年的话，我们就可以随便吃羊了！

是我们的祖先忘记申请了，还是我们不知道呢？
灰太狼在书堆中翻找……
啊！终于找到了！
一个下午
我都在准备陷阱，
我觉得今天
一定会抓到软绵绵，
可是……
五百年前……
嘿嘿，陷阱布置好了！
软绵绵，就等你来了！

软绵绵来了！
今天天气好晴朗哟……
我们一起去比赛哟……
啊？！
怎么回事？！我都安装好了呀！
他掉了个东西在这里。
这是什么？
哎哟！

原来是场比赛？
动物王国耐力极限挑战赛．前十三位获胜的选手，将依次成为每一个新年的吉祥物，周而复始，永不废止，并受到大家的尊重和保护．
这次，我看你软绵绵往哪儿跑！哈哈哈哈哈……
看来软绵绵要去参加！这是我武大狼扬名天下的好机会啊！
哞……
你在吃什么呢？
吱吱！
走着瞧！
哈哈，我赢定了！
让我看一看！

好了！大家静一静！
比赛马上就要开始了。这是比赛的路线……
先进行的是长跑，然后是游泳，最后是爬山！终点就在山顶！
中间没有休息。为了比赛的公平，请大家不要作弊。
还有，不准使用兴奋剂和交通工具。如果有，最好现在交出来！否则……
嗖！乒！咚！
啊？！

不要冲动……
慢慢来……
最重要的规则请大家千万不要忘记，那就是参赛者彼此之间不能相互伤害。
哦！
比如说……
看见你我肚子就饿了！
啊？
你长得真好看！啦啦啦……

再比如……
哦！
嗞……
你真是可爱呀！
太意外了！
看来大家的表现还不错！
请记住，千万不要违规，否则要受到严厉的处罚。
啊……哈哈！

青草丸子味道不错……
软绵绵，我可找到你了！我扑！
哎哟！
黄牌警告一次！
好了，请大家到起跑线集合！
大家准备好了吗？
准备好啦！！！
我就不信……

加油啊！
开跑！
轰隆隆！
走咯……
我就不信，抓……抓不到你！
快跑！嘿咻！
干吗那么着急呢？
软绵绵，你别想逃。

下一步计划！
这回肯定万无一失。看你软绵绵怎么逃脱我的“天罗地网”！
“天罗地网”是武大狼多年苦心研究的成果。
采用模糊理念设计，集各种陷阱、暗器于一身！
使用起来方便简单！是捕捉猎物的最佳选择！
来了？好！
今天天气好晴朗哟……
落！

我们一起去比赛哟……
不会吧？继续！
射箭！箭怎么不见了？
累死我了！
只有用最后一招了！
嘿嘿！
比赛不允许作弊哟，害了别人更害己哟……
太好了！马上就要踩到了！

拉！
启动机关！
后悔药儿没有用哟！只有自己吞恶果哟。
啊！
快跑啊！
蛇哥哥蛇哥哥，我错了我错了！

嘿哟！快跑啊！
时间过去一小半了哟……
我们要来比赛游泳咯……
扑通！
加油！
嘿嘿……
瞄准目标，前进！
嗖！

啊！这是什么……
有鳄鱼！大家快游啊！
哈哈！看你这只羊怎么逃走！我来了！
啊？！不会吧……
是一只真的鳄鱼！
快逃啊！
鳄鱼哥哥……
你别走啊！

鳄鱼哥哥，你要去哪里啊？
打鳄鱼！
扑通！
我躲！
打鳄鱼！打鳄鱼啊！
咚！！！
啊！漏水了！
砰！
咕咕咕……
终于上来了……

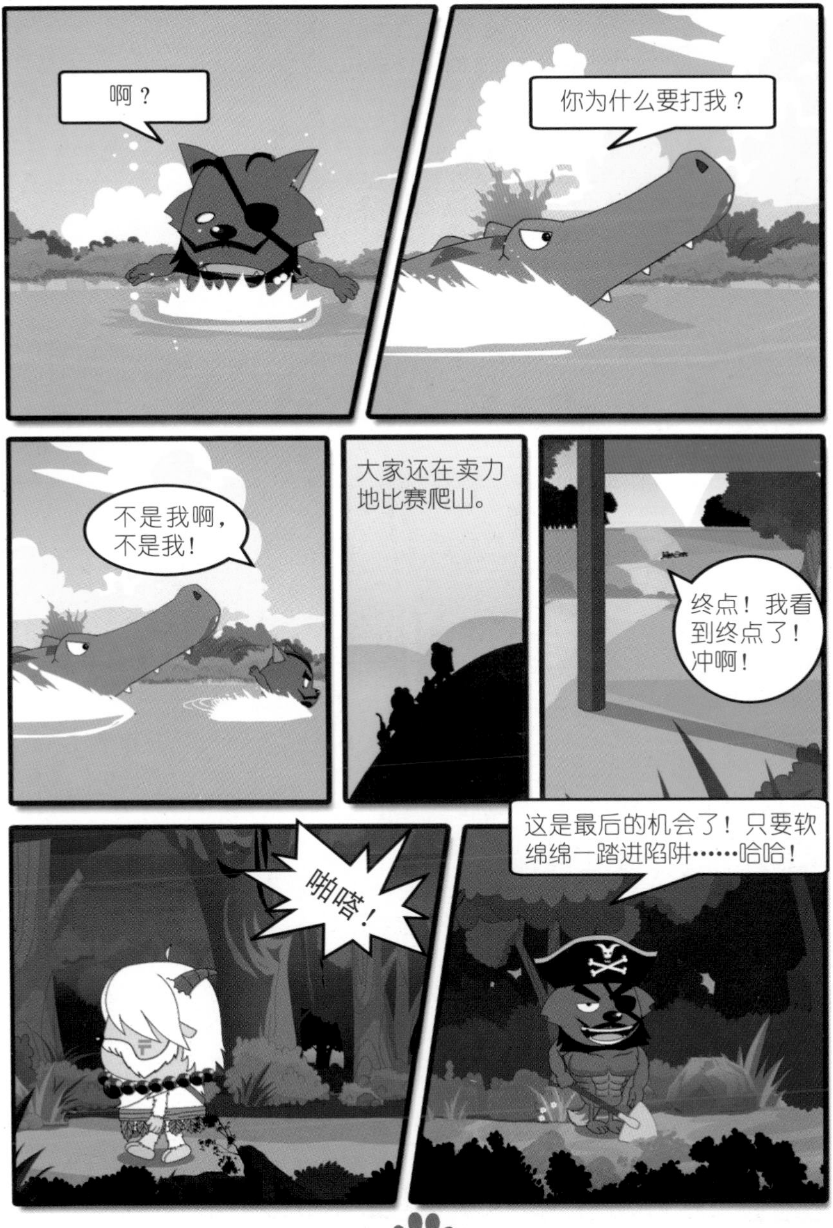
啊？
你为什么要打我？
不是我啊，不是我！
大家还在卖力地比赛爬山。
终点！我看到终点了！冲啊！
啪嗒！
这是最后的机会了！只要软绵绵一踏进陷阱……哈哈！

咻！
来吧！
噢！武大狼！武大狼！
今天的冠军就是你！
谢谢大家！
哈哈哈哈！真是太完美了！
来了！

比赛胜负不重要哟，自己开心才值得哟……
?
不会吧？！
立个标志牌在这里吧！
此处有陷阱 小心！
能不能给个面子啊！我也是费心费力，总要让我成功一次嘛！
好。
怎么回事？
啊！！！

哎哟……
怎么是他？！
嘻嘻，没想到吧！
我怎么会输给一只小老鼠？
我不服！
我也是！
我还比较满意这个结果。
这是真的吗？我就要成名了！
耶！
1
2
3
4
7
8
9

我宣布，今天比赛胜出的十三位幸运者是……
哦？！
呱唧呱唧……
对不起，情况有些变化。为了比赛的公正，我宣布！
今天比赛胜出的十二位幸运者是小老鼠、大黄牛……
明明我是第一的！

看看这些证据吧！
你严重违规，所以取消你的比赛资格！作为惩罚……
作为惩罚，在羊历新年里，狼不能伤害羊！
真是可惜啊！
我不管！我一定要吃到羊，就在今天！
啊！不可以的！

冰河世纪
你们看，灰太狼又在搞对付羊羊们的新发明了。
没错，就是这个公式。
我得多看几遍，千万不能出错。
就是用这个配方。
怎么是粉末？

应该是冰呀！难道我记错公式了？
灰太狼！
红太狼？你在干什么？
抓老鼠。
抓老鼠干什么？
你不饿吗？
饿。
饿还不快点脱掉鞋子。

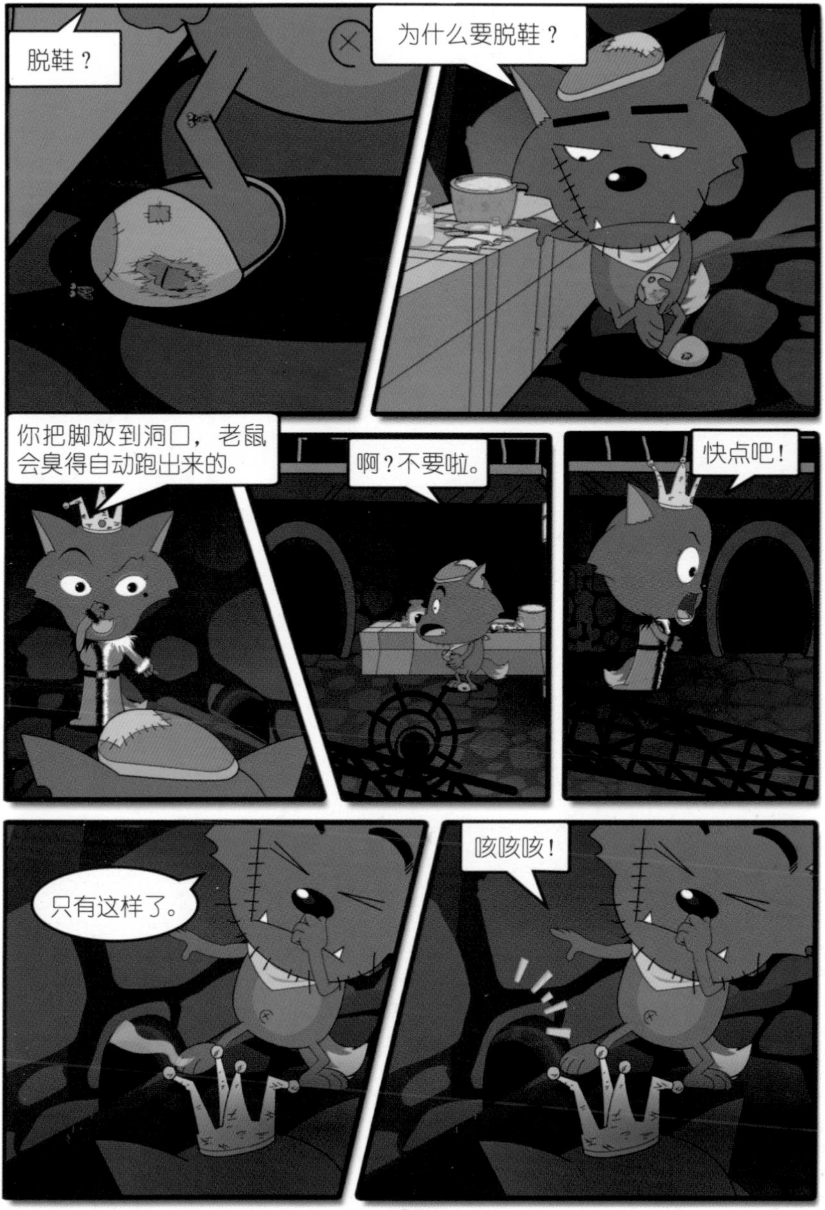
脱鞋？
为什么要脱鞋？
你把脚放到洞口，老鼠会臭得自动跑出来的。
啊？不要啦。
快点吧！
只有这样了。
咳咳咳！

太臭了，熬不住了。
快抓住它！
乒乒！
跑那边去了，快追！
乒乒
乒乒！
不要啊！
危险！
咣当！

我的制冰剂！
啊？
老鼠被冻住了！
天助我也。
制冰剂原来是要混合以后加上水才能做出冰来。
这个有什么用？
我要利用这个制冰剂把羊村变成冰村！

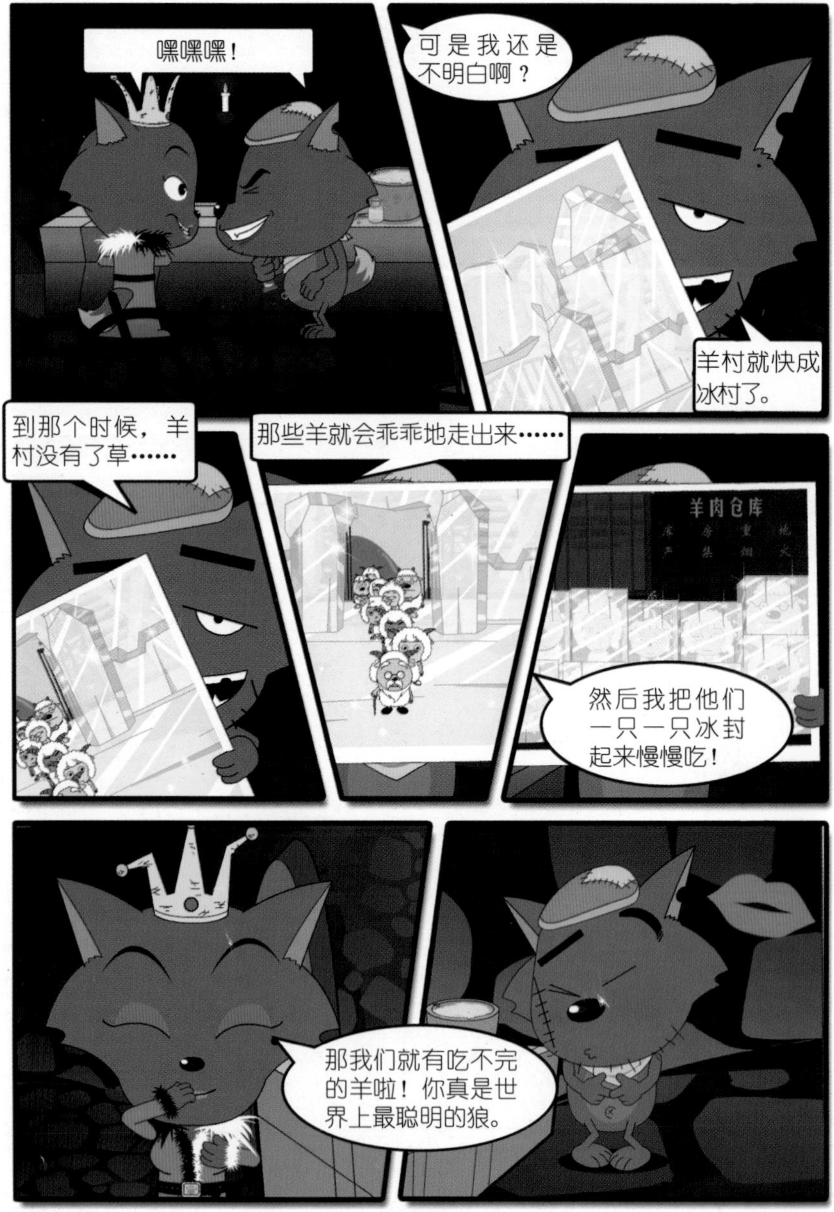

嘿嘿嘿！
可是我还是不明白啊？
羊村就快成冰村了。
到那个时候，羊村没有了草……
那些羊就会乖乖地走出来……
羊肉仓库
库房重地
严禁烟火
然后我把他们一只一只冰封起来慢慢吃！
那我们就有吃不完的羊啦！你真是世界上最聪明的狼。

真是不好意思。
啊……
嘭！
你怎么啦？！灰太狼！
羊村，我来了！
这次一定要成功啊！
我得想个办法躲开哨兵。

看我的伪装术！
慢慢靠近。
咦？
再近一点。
奇怪，草怎么在动？
呼呼呼……
懒羊羊， 起来！快起来！

快，有情况。
哈哈哈！喜羊羊你死定了！
让你试试我制冰剂的厉害！
羊都哪儿去了？
我们在这儿呢！
试试村长发明的高压水枪吧！
喷射！

啊！
知道厉害了吧。
嘭！
啊？
喜羊羊，你总坏我的好事！
呵呵！
再来！
咕噜咕噜！

扑通！
晚餐来了！
让我来仔细看看这棵草。
显微镜下面可能会有新的发现。
这些草有什么用啊？
这些都是我研制的具有特殊功能的草。
A7
C12
B5
A3
村长让我上课要认真记笔记。
村长，吃了这些A3的草能美容吗？

那当然啦！
真的很想吃，可惜这些草长得太慢啦。
我也在想办法改善啊。
是不是能利用太阳能做人工光照？
增强光照度和日晒时间，草就能长得快。
对啊！我真是老糊涂了……喜羊羊！
是。
C12
C12
B5
B5

你去测试这里的太阳光照能量。我要研制一个太阳能光照灯。
是。
大家跟我来吧。
好！
太好了，人工光照一定会起作用的。

村长，如果有吃了让羊发出香味的草就好了。
哦？
我只是说说。
我去找喜羊羊啦。
是啊，如果有各种香味的草，加上自身的体味……
那么有视力障碍的羊，凭味道就能分辨出每只羊来啦！

好香啊。
一定很好吃吧。
吧唧！吧唧！
懒羊羊，你在干什么呢？
我想挑一个自己喜欢的味道……这是什么草啊？
这是人参草。吃了提神的，睡不着！
啊……

好像没什么效果！
ZZZ
啊？
啦啦啦……
到底要去哪里啊？
就这里吧，开始！
先要安装水管。

把水管扔到河里。
接上水泵。
这样就能把河水喷到羊村里。
河水遇到制冰剂，羊村就会变成冰村了。
这方法真的行吗？
放心吧，你很快就能吃到冰镇羊肉了。
我压我压我压压！
大肥羊学校

地球曾经四季如春，有许许多多的动物。
比如大象。
咚！！！
比如野猪。
咚！！！
但在两百五十万年前，出现了冰河世纪。
啊？！
大量的动物都被冻死了。
我好像闻到了烧烤的味道，好香啊！

懒羊羊同学。
不过，好像有点糊了。
真是太没有纪律了，上课睡觉还说梦话。
只好动用我的超级武器……
熏死人不偿命的臭草！
啊？！臭草！

刷！
好臭呀！
看你还睡不睡！还做烧烤梦呢！
可是，我真的闻到有东西被烧焦的味道。
还是快去看看，是不是哪里失火了？
我也觉得。
好！快走！
糟啦，实验室着火啦！

大家快跟我去救火！
用力啊红太狼！
噗！
我已经很用力了！
加油啊！
赶紧灭火！
怎么会失火的呢？
可能是太阳能光照灯太热。
把草都烧着了。
哎呀，我忘记安装散热器啦！
火势太猛了，赶紧抽河水救火吧。
停！停！不用喷水啦！

烧得好！看来今天有烤羊吃啦。
让我看看。
大肥羊学校
水管？
他们抽河水救火，火都要灭了。
没关系，让他们尝尝我的厉害吧！
让我把河水冻起来！
嘭！！！
哈哈，河水成冰块了！

往火势大的地方浇水。
啊？水怎么停了？
成功了！
我要把制冰剂发射到羊村去。
嘭！
嗖！
这就是传说中的冰河世纪吗？
咱们过去吃大餐吧！
啊？灰太狼！喜羊羊，有情况……
嗯、嗯，知道了。

原来是灰太狼搞的鬼，咱们拿太阳能光照灯对付他。
走！
老婆，做好准备，羊群快要逃命啦！
怎么摇晃起来了？
怎么回事啊？
呀！
投降吧，灰太狼。
晚餐！晚餐！晚餐！
啊！不！！！
我的！我的！我的！
完

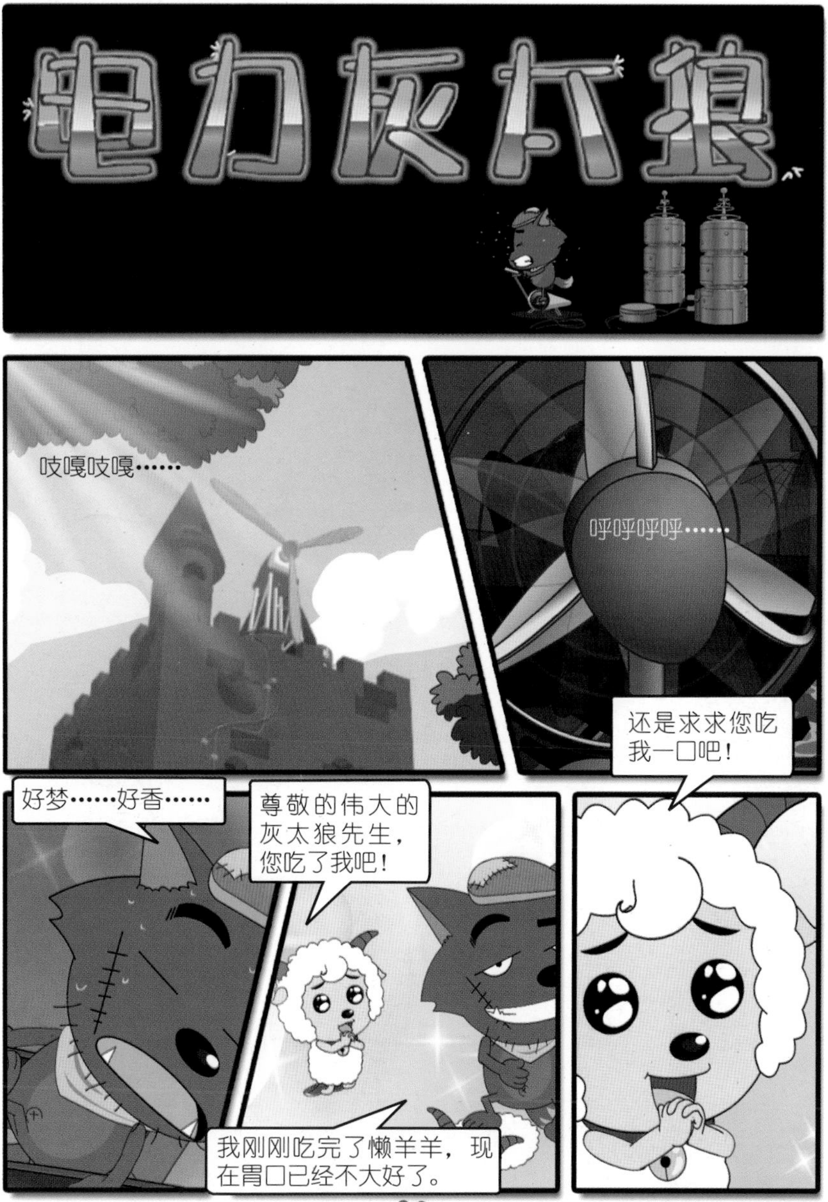
电力灰太狼
吱嘎吱嘎……
呼呼呼呼……
好梦……好香……
尊敬的伟大的灰太狼先生，您吃了我吧！
我刚刚吃完了懒羊羊，现在胃口已经不大好了。
还是求求您吃我一口吧！

好吧，把腿伸过来吧。
吧唧！
哎呀——
天气这么热，羊怎么会出来呢？
啊！
大白天还睡懒觉，快去抓羊！
那些羊竟然就在下面玩？！
你这个没用的东西，每次叫你抓羊都抓不到！

这些小羊竟然不把我们放在眼里！
你不用担心，瞧，这是我的神速小鸡衫！
居然跑到我们的地盘上来玩？哼哼，准备烤全羊吧！
哎呀呀呀……
唉……
好香的午餐！
这里离灰太狼家那么近，太危险了。
不用怕，有我可以保护你！

不怕，有了村长新发明的“快速躲狼鞋”，他抓不到我们！
那我就放心了。啊，午餐做好了！
午餐！午餐！午餐在哪里？
呵呵！
哇啊！
吃饱了，想睡觉。
他才是最快的……

嗯？！
哈哈，我穿了这件快跑衣，你们跑不掉啦！
快跑衣？
快跑啊！
沸羊羊，就是你了！
嘿嘿……臭小子！
快来帮忙啊！
哎哟！
别、别过来……
沸羊羊，认命吧！看我的绝招！

有了！
灰太狼，再见！
好吧，那就先吃
那只瘦的——
来啊，来抓我啊！
别跑别跑！
我在这儿呢！
那我先吃最可
恶的喜羊羊。

来啊来啊，来吃我啊！
哈哈！
哎哟！
嘿嘿，来啊来啊！
喜羊羊，我要收拾你！
撞吧！
你逃不掉了！
咚!!!
耶！成功！
晕……晕啊……好晕啊……
灰太狼，你快来呀！

还是吃那只最肥的吧！
嘿嘿，小肥羊！
嘿！
我们走！
哎哟……
为什么……又是我……
下面有只小鸡？
嗖！
啊！

喂！搞错了，搞错了！
快放我下去！
哈哈哈哈！老鹰，再见！
唉……
哼！我就不信了！
我找、我找、我找找找！

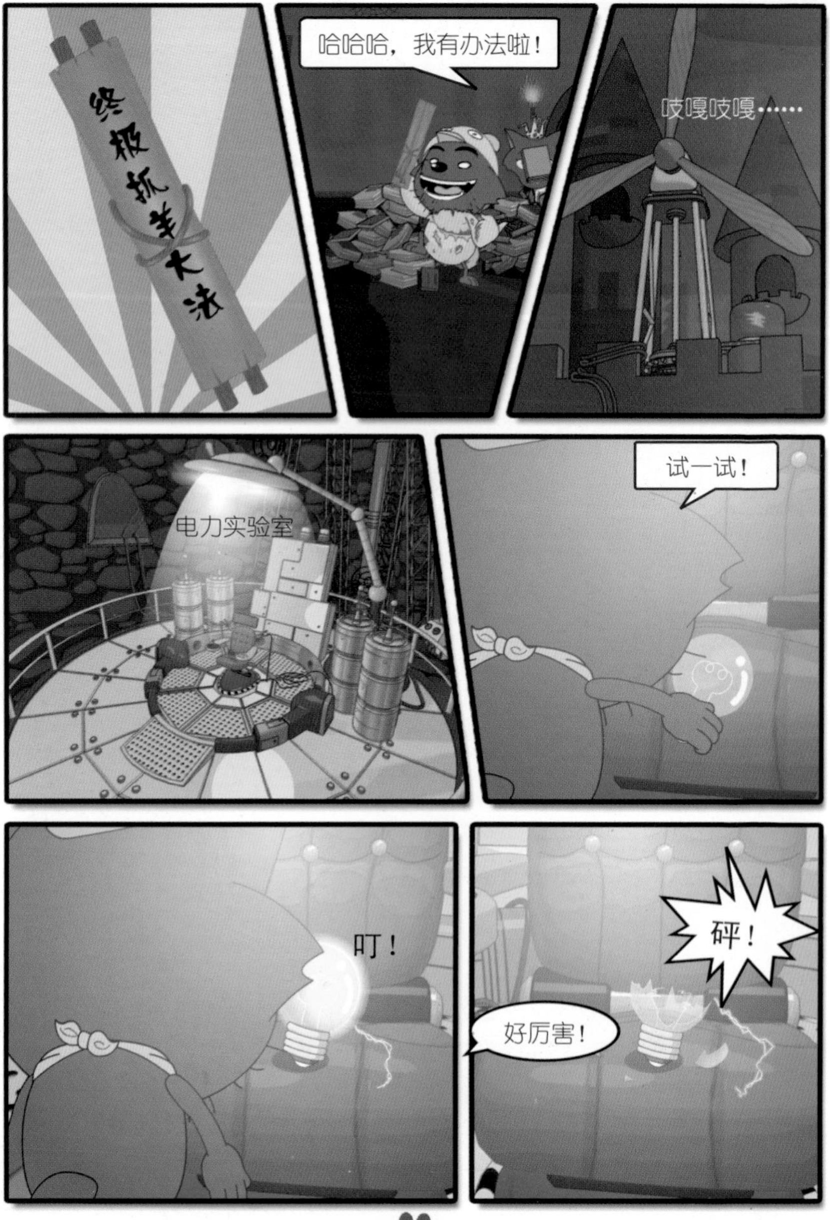
终极抓羊大法
哈哈哈，我有办法啦！
吱嘎吱嘎……
电力实验室
试一试！
叮！
砰！
好厉害！

通过电流刺激肌肉细胞，
可以获得强大的力量？
强大的力量？那会
不会有危险？
椅子也爆炸了。
嘭！
让我来试试。
救命啊——
着火啦——
请勿模仿……

又不去抓羊，还待在家里玩电？
你还敢电我？
啊……
看锅！
哐当！
啊……
咚！
电力灰太狼！

噢！哈哈！我充满了力量！
嗯？
嘿嘿……
我电力灰太狼——来啦！
灰太狼，你又来了？你可真有毅力！
他怎么变成这样了？
把你们的轮子鞋穿好吧，这次我可要好好地跟你们赛赛跑！

伙计们，穿鞋！
灰太狼呢？
我在这儿呢！
大家闪！
还想逃？
快溜！

有我快吗？
这边——
还想去哪儿？
让我来！
看招——
加油啊，力气
还不小呢！
你……

我们还是快跑吧！
快逃！
嘿嘿，没用的！
嗖！
中！
糟了！
啊！
嗯，到底是烤着吃
还是涮着吃呢？

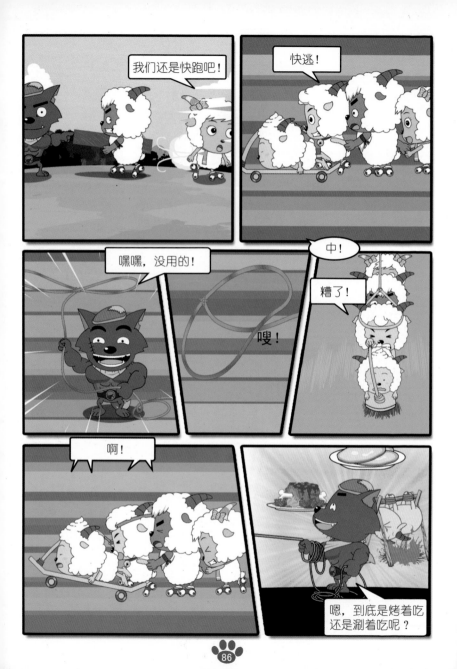

嘟嘟嘟嘟！
警报警报！
怎么了？
我怎么又变回来了？
糟糕，电
用完了！
快往前滑！
哎哟……

怎么这么多石头？！
哇！
伟大的灰太狼，来吧——
不就是电力不足吗？
这回来个十万伏。
为了吃羊，我忍！
10万V
呀！！！

噼啪！
老公，你好酷啊！
那当然！
啪！
又没电了？嗯，这可不行——
我再找找，看这些书里有没有记载解决的方法。

终极抓羊大法
法
续集
有办法了！
嘿哟！
加油，美羊羊！
好的！
灰太狼比以前厉害多了，
咱们不能掉以轻心。
还是他的心
情最好。

哈哈哈……
各位美餐，我又回来了！
快关门！
嘻嘻！这可挡不住我！
啪！
快逃啊！
这可不是上一次啦！

怎么又是我？！
大家再坚持一会儿，他就没电了！
你真的那么认为吗？
看看这是什么？我可是有备而来！
Power
你们自己先投投票，看看谁先下锅呢？
挺住……
轰隆！

哦……
沸羊羊，快把风筝给我！
给！
呼……
去吧！
嗯，吃完了羊肉放风筝，这个主意不错呀。
嗯？
咔！！！

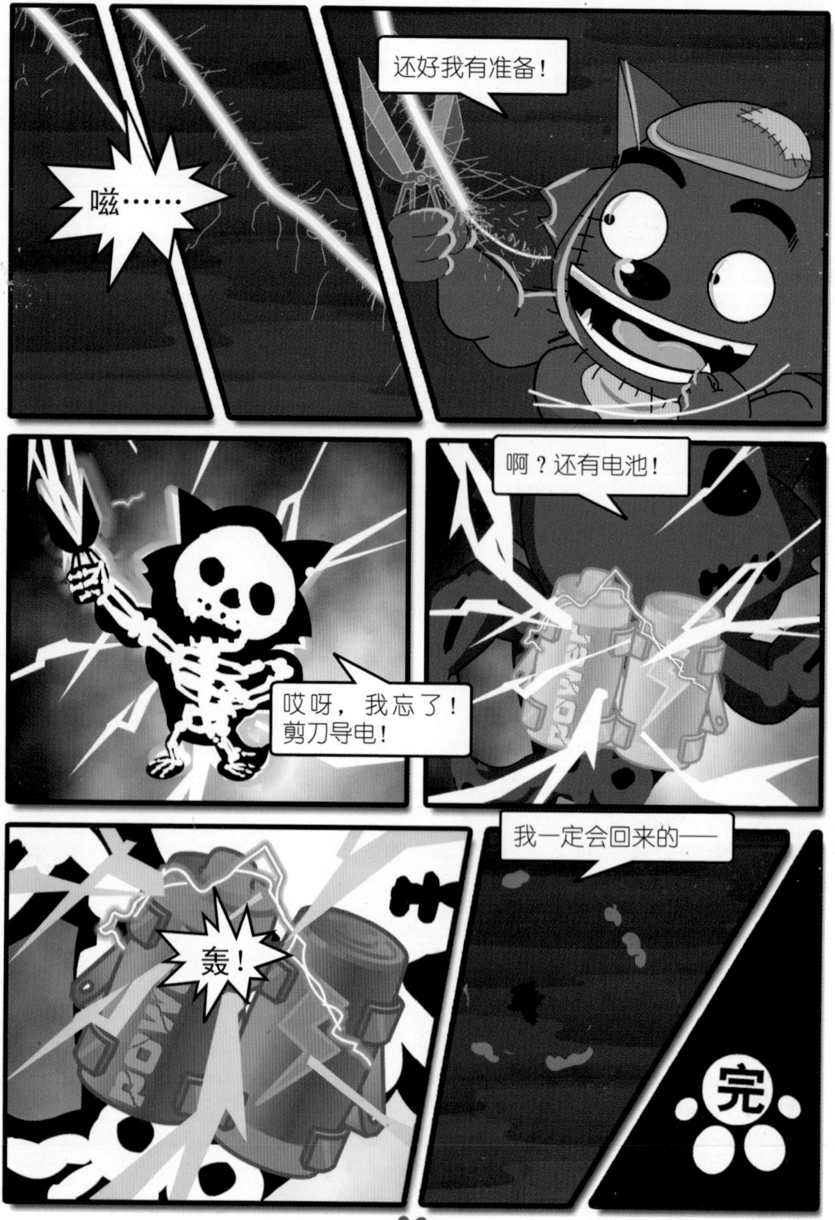

嗞……
还好我有准备！
哎呀，我忘了！
剪刀导电！
啊？还有电池！
轰！
我一定会回来的——
完

图书在版编目(CIP)数据

喜羊羊与灰太狼. 6，牧羊犬灰灰 / 童趣出版有限公司编.
—北京：人民邮电出版社，2007. 6
ISBN 978-7-115-16343-1
Ⅰ. 喜… Ⅱ. 童… Ⅲ. 图画故事—中国—当代 Ⅳ. I287. 8
中国版本图书馆CIP数据核字（2007）第082247号

喜羊羊与灰太狼6
牧羊犬灰灰

出 版 人：侯明亮
图书策划：范　萍
责任编辑：莫　杨
封面设计：徐　莉
排版制作：北京时间造物文化传播有限公司
根据广州原创动力动画设计有限公司制作的动画片改编　www.22dm.com

出版发行：童趣出版有限公司编
　　　　　人民邮电出版社出版
地　址：北京东城区交道口菊儿胡同7号院（100009）
印　刷：北京画中画印刷有限公司印制
经　销：新华书店总店北京发行所
开　本：787×1092 1/32
印　张：3
版　次：2007年6月第1版 2008年12月第8次印刷
字　数：75千
书　号：ISBN 978-7-115-16343-1/G
定　价：10.00元

www.childrenfun.com.cn
读者热线：010-84180588
经销电话：010-84180552

喜羊羊与灰太狼

Pleasant Goat and Big Big Wolf

独家预告

灰太狼和红太狼前后夹击，火攻羊村。羊村被烧成一片火海。危急中，喜羊羊用大量的喇叭花喷水灭火，但灰太狼又从高空向羊村投火。谁能解救深陷火海的羊羊们?